헨리와 머지

으슬으슬 감기에 걸리다

글 신시아 라일런트 | 그림 수시 스티븐슨

헨리 와 머지
으슬으슬 감기에 걸리다

초판 발행	2021년 1월 15일
글	신시아 라일런트
그림	수시 스티븐슨
번역및콘텐츠감수	정소이 박새미 유아름
콘텐츠제작참여	최선민 선생님(충남 보령 성주초) 김수정 선생님(경기 부천 부인초)
	권재범 선생님(충남 계룡 금암초) 박은정 선생님
책임편집	정소이 박새미 김보경
디자인	모희정 김진영
저작권	김보경
마케팅	김보미 정경훈
펴낸이	이수영
펴낸곳	(주)롱테일북스
출판등록	제2015-000191호
주소	04043 서울특별시 마포구 양화로 12길 16-9(서교동) 북앤빌딩 3층
전자메일	helper@longtailbooks.co.kr
ISBN	979-11-86701-74-4 14740

롱테일북스는 (주)북하우스 퍼블리셔스의 계열사입니다.

이 도서의 국립중앙도서관 출판예정도서목록(CIP)은 서지정보유통지원시스템 홈페이지(http://seoji.nl.go.kr)와 국가자료종합목록 구축시스템(http://kolis-net.nl.go.kr)에서 이용하실 수 있습니다. (CIP 제어번호 : CIP2020053057)

Contents

아픈 날

헨리의 큰 개 머지는

헨리가 아픈 날을 좋아했다.

헨리가 목이 아프거나

열이 나거나

심하게 기침을 하면,

그는 학교에 가지 않고 침대에 누워서

집에 머물렀다.

아침에
헨리의 엄마는 그에게
오렌지 맛 아이스바,
만화책,
그리고 크래커를 가져다주었다.

머지가 그 크래커를 먹었다.

저녁에는

헨리의 아빠가 그에게

포도 맛 아이스바,

만화책,

그리고 크래커를 가져다주었다.

머지는 또 그 크래커를 먹었다.

머지는 아픈 날을 정말 좋아했다.

하지만 비록 녀석이

헨리가 아픈 날을 좋아하긴 했지만,

아무도 *머지가* 아플 것이라고는

생각해 본 적이 없었다.

아무도 머지가 세균에 감염될 수 있다고
생각해 본 적이 없었다.
하지만 녀석은 그럴 수 있었고,
어느 날 녀석은
아주 많은 세균에 감염되었다.

헨리가 일어나

침대에서 뛰쳐나왔을 때,

머지는 움직이지 않았다.

녀석은 일어나지 않았다.

녀석은 헨리의 얼굴을 핥지도 않았다.

녀석은 심지어 헨리와 악수하지도 않았는데,
녀석은 항상 아침에
헨리와 악수했다.

녀석은 그저 헨리를 바라보고
꼬리를 약간 흔들 뿐이었다.

헨리와 헨리의 엄마는
머지를 보며 걱정했다.

"무언가가 잘못된 것 같아요." 헨리가 말했다.

그의 엄마는 자신의 고개를 끄덕였다.

"머지가 아픈 게 틀림없어요." 헨리가 말했다.

그의 엄마가 다시 한 번 자신의 고개를 끄덕였다.

"머지." 헨리가 말했다. "너

그냥 크래커를 조금 먹고 싶은 거니?"

하지만 머지는 크래커를 원하지 않았다.

머지는 아팠다—

그리고 녀석은 심지어 만화책을

*읽지*도 않았다.

동물병원

헨리와 헨리의 엄마는
머지를 차에 태워
병원에 가려고 했다.
하지만 머지는 피곤했다.
녀석은 가고 싶지 않았다.

"올라타, 머지."

헨리가 말했다.

머지는 헨리의 발 위에 앉았다.

"타라고, 머지."

헨리가 다시 말했다.

머지는 하품을 했고

헨리의 손에 침을 흘렸다.

"목욕 시간이야, 머지." 헨리가 말했고,
머지는 곧장 차에 올라탔다.
그들은 동물병원으로 차를 몰고 갔다.

머지는 수의사 선생님을 알았다―

그리고 녀석은 그녀를 보고 싶지 않았다.

그녀는 녀석을 긴장하게 했다.

그들이 수의사 선생님의 대기실 안으로

걸어 들어갔을 때,

머지는 덜덜 떨며

털갈이를 하기 시작했다.

녀석은 동물병원에 갈 때마다

매번 이랬다.

녀석은 덜덜 떨었고 털갈이를 했다.

머지는 항상

수의사 선생님의 병원 바닥 위에

개털 한 뭉치를 남겼다.

녀석이 수의사 선생님을 만날
차례가 되었을 때,
헨리와 헨리의 엄마는
녀석을 말처럼
진료실 안으로
끌어당겨야만 했다.

"안녕, 머지." 수의사 선생님이 말했다.

머지는 덜덜 떨었다.

"기분이 좋지 않은 날이구나, 머지?" 선생님이 말했다.

머지는 털갈이를 했다.

"녀석이 털을 전부 잃겠어요."

헨리가 말했다.

"그렇구나." 수의사 선생님이 말했다.

"서두르는 게 좋겠는걸,

안 그러면 네가 녀석을 집으로 데려가기도 전에

녀석이 벌거벗겠어."

헨리의 엄마가 웃었다.

하지만 헨리는 웃을 수 없었다.

그는 너무 걱정되었다.

그는 너무 무서웠다.

수의사 선생님은 머지의 젖은 눈을 보았다.

그녀는 머지의 떨리는 가슴에서

소리를 들었다.

그녀는 머지의

털이 빠지는 배를 만져 보았다.

그다음에 그녀는
머지의 큰 머리를
문질렀다.

"내가 몇 가지를 확인해 봐야겠구나."

그녀가 헨리에게 말했다.

"밖에서 기다려 주겠니?"

헨리는 안 된다고 말하고 싶었다.

헨리는 *절대로 안 된다고* 말하고 싶었다.

하지만 헨리는 말했다. "알겠어요."

그는 그의 엄마와 함께

대기실로 돌아갔다.

그는 앉아서 머지가

"아" 하고 소리 내는 방법을 아는지 궁금해했다.

그는 머지가
괜찮을지 궁금해했다.

진한 뽀뽀

"네 개는 감기에 걸렸어."

수의사 선생님이 헨리에게 말했다.

"감기요?" 헨리가 말했다.

"그런 것 같구나." 수의사 선생님이 말했다.

"녀석은 열이 있고,

녀석의 목은 붉고,

녀석은 아주 피곤해하고,

그리고 녀석은 계속 나에게

만화책 몇 권을 달라고 하더구나."

이번에는 헨리도 웃을 수 있었다.

"너는 녀석이 쉬게 해야 한단다."
수의사 선생님이 말했다.
헨리는 고개를 끄덕였다.

"그리고 녀석에게 약도 줘야 해."
헨리가 다시 고개를 끄덕였다.

"그리고 녀석이 나을 때까지
녀석에게 뽀뽀하면 안 된단다."
수의사 선생님이 말했다.
헨리는 얼굴을 찌푸렸다.
"아휴." 그가 말했다.

헨리와 헨리의 엄마

그리고 머지가 집에 도착했을 때,

헨리는 거실에

머지를 위한 병상을 마련했다.

그곳에는 헨리의 낡은 담요와
헨리의 더러운 양말 다섯 개와
헨리의 야구 글러브와
헨리의 베개와
큰 사슴 인형이 있었다.

다음 날 아침

헨리는 머지에게

얼음 몇 조각,

고무 햄버거,

그리고 크래커를 가져다주었다.

헨리가 그 크래커를 먹었다.

저녁에

헨리는 머지에게

얼음 몇 조각,

고무 핫도그,

그리고 크래커를 가져다주었다.

헨리가 또 그 크래커를 먹었다.

하지만 그 다음 날,

머지는 크래커를 *전부* 먹었다.

녀석의 아픈 날들이 끝났다.

그리고 헨리는 녀석에게 아주 진한 입맞춤을 해 주었다.

Activities

영어 원서를 총 여섯 개의 파트로 나누어,
각 파트별로 다양한 액티비티를 담았습니다.

각 파트의 영어 원서 페이지는 롱테일북스에서 출간된
'롱테일 에디션'을 기준으로 합니다!
수입 원서와는 페이지 구성에 차이가 있으니 참고하세요.

VOCABULARY

개

dog

아픈

sick

따가운

sore

목

throat

열

fever

기침

cough

머무르다, 가만히 있다

stay

학교

school

아침

morning

아이스바

Popsicle

만화책

comic book

크래커

cracker

저녁

evening

포도

grape

생각하다 (과거형 thought)

think

(병에) 걸리다 (과거형 caught)

catch

세균

germ

어느 날

one day

51

VOCABULARY QUIZ

1 그림에 맞는 단어를 퍼즐에서 찾아 표시하고 단어를 써 보세요.

f	q	r	t	c	a	c	c	n	a	l
s	c	h	o	o	l	s	r	m	t	t
u	q	e	n	u	s	u	a	i	h	i
e	w	r	e	g	o	s	c	f	r	p
q	u	f	e	h	r	i	k	k	o	i
s	f	e	d	r	a	w	e	a	a	e
i	e	v	o	t	r	e	r	t	t	l
c	w	e	w	c	z	t	a	i	p	i
k	t	r	s	e	v	e	n	i	n	g
i	g	e	i	l	g	l	r	k	a	o
k	m	o	r	n	i	n	g	u	o	f

cracker

2 그림에 맞는 단어를 연결하고 빈칸에 알맞은 알파벳을 넣어 보세요.

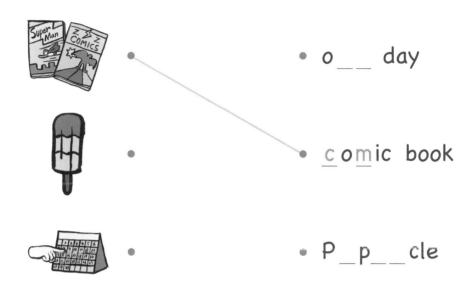

o _ _ day

c_ o m ic book

P _ p _ _ cle

3 글자를 바르게 배열하여 단어를 완성해 보세요.

r e s o
sore

i n k h t

y s t a

p e r g a

g o d

a c c h t

i k c s

e m r g

1 이야기의 순서에 맞게 그림을 배열해 보세요.

a

On Henry's sick days, his mother brought him Popsicles, comic books, and crackers.

b

Mudge ate all of Henry's crackers.

c

One day, Mudge got really sick.

d

Mudge loved it when Henry was sick.

d ···▶ ◯ ···▶ ◯ ···▶ ◯

2 다음 질문에 알맞은 답을 선택해 보세요.

1) Why did Mudge love when Henry was sick?

   a. Mudge could stay outside all day with Henry.

   b. Henry did not go to school and stayed home with Mudge.

   c. Henry would take a walk with Mudge.

2) Which of the following was NOT what Henry's parents brought to Henry?

   a. Grapes

   b. Popsicles

   c. Comic books

3) What happened to Mudge one day?

   a. Nothing happened to him.

   b. He broke one of his feet.

   c. He got sick.

3 책의 내용과 일치하면 T, 그렇지 않으면 F를 적어 보세요.

1) Henry and Mudge were sick at the same time.   _____

2) Henry's mother brought Henry orange Popsicles.   _____

3) One day Mudge caught a lot of germs.   _____

Henry's mother **brought** Henry comic books.
헨리의 엄마는 헨리에게 만화책을 가져다주었다.

아파서 학교에 가지 못한 헨리. 헨리의 부모님은 아픈 헨리에게 아이스바와 만화책, 크래커 등을 가져다주었어요. 이렇게 **"-에게 ~을 가져다주다"**라고 말할 때는 '가져다주다'라는 뜻의 bring을 먼저 쓰고 누구에게 주는지와 무엇을 주는지를 순서대로 쓰면 돼요.

bring + [대상] + [사물]: −에게 ~을 가져다주다

I **bring** him apples.
나는 그에게 사과들을 가져다준다.

They **bring** me a lot of joy.
그것들은 나에게 큰 기쁨을 가져다준다.

Her effort **brought** her success.
그녀의 노력이 그녀에게 성공을 가져다주었다.

* 지나간 일에 대해 말할 때 bring은 brought으로 변해요.

The teachers **brought** the students books.
선생님들은 학생들에게 책들을 가져다주었다.

우리말과 뜻이 통하도록 네모 안에 들어 있는 말을 바르게 배열해 보세요.

1. 나는 그에게 사탕을 가져다준다.

bring	him	I	candy
가져다주다	그	나	사탕

I bring _____ .

2. 그들은 아기에게 선물들을 가져다준다.

presents	bring	they	the baby
선물들	가져다주다	그들	아기

_____ .

3. 내 친구는 나에게 스웨터를 가져다주었다.

me	a sweater	brought	my friend
나	스웨터	가져다주었다	내 친구

_____ .

4. 직원이 우리에게 우리의 식사를 가져다주었다.

our meal	the server	us	brought
우리의 식사	직원	우리	가져다주었다

_____ .

꼭 기억하세요

bring 다음에 사물을 먼저 쓰고 싶을 때는 bring 사물 to 대상이라고 쓸 수 있어요.

She brought her friend an eraser. = She brought an eraser to her friend.
그녀는 그녀의 친구에게 지우개를 가져다주었다.

57

VOCABULARY

뛰다

jump

~의 밖으로

out of

움직이다

move

일어나다

get up

핥다: 핥기

lick

얼굴

face

흔들다
(shake one's hand 악수하다)

shake

손

hand

아침

morning

~을 보다

look at

흔들다 (과거형 wagged)

wag

꼬리

tail

조금

a little

어머니

mother

걱정하다 (과거형 worried)

worry

잘못된

wrong

끄덕이다 (과거형 nodded)

nod

읽다

read

VOCABULARY QUIZ

1 알파벳을 연결해서 단어를 만들고, 알맞은 그림과 연결해 보세요.

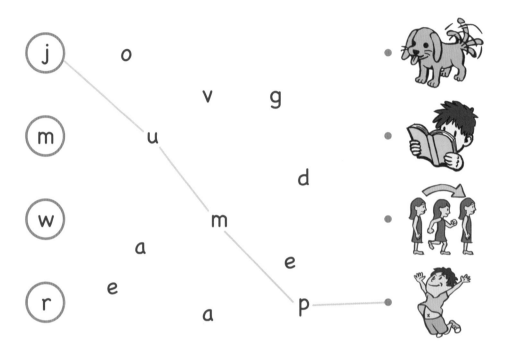

2 빈칸에 알맞은 알파벳을 넣어 단어를 완성해 보세요.

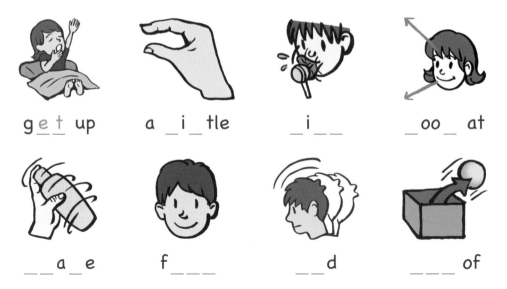

g e̲ t̲ up   a _ i _ tle   _ i _ _   _ oo _ at

_ _ a _ e   f _ _ _   _ _ d   _ _ _ of

3 그림을 보고 알맞은 단어를 넣어 퍼즐을 완성해 보세요.

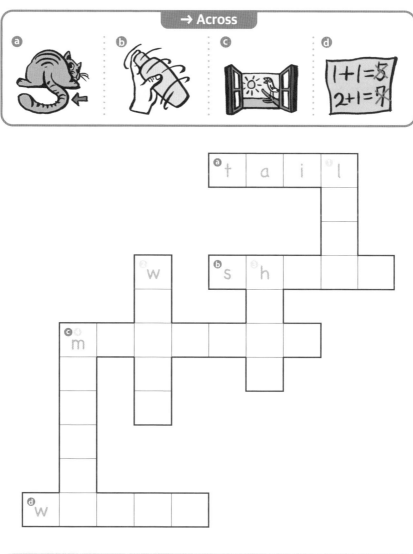

1 이야기의 순서에 맞게 그림을 배열해 보세요.

Mudge did not shake Henry's hand.

When Henry got better, Mudge did not feel well.

Mudge just wagged his tail.

Henry and his mother worried about Mudge.

 ···▶ ···▶ ···▶

2 다음 질문에 알맞은 답을 선택해 보세요.

1) What did Mudge do when Henry got out of the bed?

    a. Mudge licked Henry's face.

    b. Mudge jumped at Henry.

    c. Mudge did not move.

2) What did Mudge always do in the morning?

    a. He always shook Henry's hand.

    b. He always had some water.

    c. He always went to the bathroom.

3) What did Henry and his mother guess about Mudge?

    a. Mudge was sick.

    b. Mudge felt sleepy.

    c. Mudge pretended to be sick.

3 책의 내용과 일치하면 **T**, 그렇지 않으면 **F**를 적어 보세요.

1) When Henry woke up, Mudge did not move.   ———

2) Mudge did not wag his tail at all.   ———

3) Mudge just wanted some crackers.   ———

PATTERN DRILL

Mudge must be sick.

머지는 아픈 것이 틀림없다.

평소와 다르게 가만히 누워서 움직이지 않는 머지. 헨리는 머지가 아픈 것이 틀림없다고 생각했어요. 이렇게 어떤 상황을 확신하며 **"~인 것이 틀림없다"**, **"틀림없이 ~일 것이다"**라고 말할 때는 must be 다음에 상태를 나타내는 표현을 써요.

must be + [상태]: ~인 것이 틀림없다

The baby must be sleepy.
그 아기는 졸린 것이 틀림없다.

It must be cold outside.
밖이 추운 것이 틀림없다.

They must be exhausted after the workout.
그들은 운동 후에 지친 것이 틀림없다.

He must be happy about the news.
그는 틀림없이 그 소식에 기뻐할 것이다.

우리말과 뜻이 통하도록 네모 안에 들어 있는 말을 바르게 배열해 보세요.

1. 그 수업이 너에게 지루한 것이 틀림없다.

to you	the class	boring	must be
너에게	그 수업	지루한	~인 것이 틀림없다

The class must be

_____ .

2. 그녀는 틀림없이 그녀의 아들이 자랑스러울 것이다.

her son	must be	she	proud of
그녀의 아들	틀림없이 ~일 것이다	그녀	~이 자랑스러운

_____ .

3. 그 가구는 틀림없이 비쌀 것이다.

must be	the furniture	expensive
틀림없이 ~일 것이다	그 가구	비싼

_____ .

4. 그는 기분이 좋지 않은 것이 틀림없다.

in a bad mood	must be	he
기분이 좋지 않은	~인 것이 틀림없다	그

_____ .

5. 그 여자아이는 수학을 잘하는 것이 틀림없다.

the girl	math	good at	must be
그 여자아이	수학	~을 잘하는	~인 것이 틀림없다

_____ .

65

VOCABULARY

의사

doctor

피곤한

tired

원하다

want

깡충 뛰다

hop

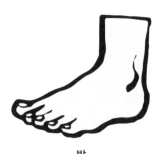

발

foot

하품하다

yawn

침을 흘리다

drool

목욕

bath

수의사

vet

불안해하는

nervous

걷다

walk

대기실

waiting room

떨다

shiver

털갈이를 하다 (과거형 shed)

shed

털, 머리카락

hair

차례; 돌다, 되다

turn

당기다

pull

말

horse

VOCABULARY QUIZ

1 그림에 맞는 단어를 퍼즐에서 찾아 표시하고 단어를 써 보세요.

a	e	t	g	f	s	t	q	v	n	m
f	r	i	n	w	b	t	u	r	n	a
n	e	r	f	b	m	r	r	u	t	e
e	g	e	y	d	r	o	o	l	q	y
r	h	d	h	o	p	e	w	z	p	a
v	q	i	t	c	d	b	m	s	g	w
o	r	a	d	t	f	j	q	h	h	n
u	e	s	e	o	h	j	b	i	u	t
s	z	f	x	r	f	k	y	v	g	o
g	u	o	t	r	d	b	j	e	t	i
w	a	n	t	f	n	g	r	r	q	m

_____

_____

_____

_____

_____

_____

_____

_____

2 그림에 맞는 단어를 연결하고 빈칸에 알맞은 알파벳을 넣어 보세요.

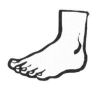 •   • h _ _ s _

 •   • w _ _ tin _ room

 •   • f _ _ t

3 글자를 바르게 배열하여 단어를 완성해 보세요.

l p u l   o h p   o o t c d r   h a t b

_____   _____   _____   _____

h s d e   k w l a   v t e   i a r h

_____   _____   _____   _____

WRAP-UP QUIZ

1 이야기의 순서에 맞게 그림을 배열해 보세요.

a

Henry and his mother had to pull Mudge into the room to see the vet.

b

When Henry asked Mudge to hop in the car, Mudge just yawned.

c

In the waiting room, Mudge started to shiver and shed.

d

When Henry said, "Bath time," Mudge got into the car right away.

 ···▶ ···▶ ···▶

2 다음 질문에 알맞은 답을 선택해 보세요.

1) What did Henry and Henry's mother do to go to the doctor?

    a. They tried to put Mudge into the bathtub.

    b. They tried to put Mudge in the car.

    c. They tried to bring Mudge home.

2) Why did Mudge NOT want to see the vet?

    a. The vet made Mudge feel nervous.

    b. The vet was a bad person.

    c. Mudge had never seen the vet before.

3) What did Mudge always do in the vet's waiting room?

    a. He always barked at the other dogs.

    b. He always slept and snored loudly.

    c. He always left a lot of dog hair.

3 책의 내용과 일치하면 T, 그렇지 않으면 F를 적어 보세요.

1) Mudge wanted to go to the vet. _____

2) Mudge shivered at the vet for the first time. _____

3) Mudge left a bunch of dog hair on the vet's floor. _____

PATTERN DRILL

The vet made Mudge nervous.
수의사는 머지를 긴장하게 했다.

헨리와 함께 동물병원에 간 머지는 덜덜 떨기 시작했어요. 수의사 선생님이 머지를 긴장하게 했기 때문이었죠. 이처럼 "-을 ~하게 하다"라고 말할 때는 make 다음에 사람이나 사물 등 대상을 쓰고, 상태를 나타내는 표현을 이어서 쓰면 돼요.

make + [대상] + [상태]: -을 ~하게 하다

I **make** my room clean.
나는 내 방을 깨끗하게 한다.

Bad drivers **make** you angry.
나쁜 운전자들은 너를 화나게 한다.

The test **made** them tired.
그 시험은 그들을 피곤하게 했다.
＊ 지나간 일에 대해 말할 때 make는 made로 변해요.

The classical music **made** me relaxed.
클래식 음악은 나를 편안하게 했다.

우리말과 뜻이 통하도록 네모 안에 들어 있는 말을 바르게 배열해 보세요.

1. 거미들은 나를 겁먹게 한다.

scared	me	make	spiders
겁먹은	나	~하게 하다	거미들

Spiders make

- .

2. 교통 체증은 그를 짜증나게 한다.

him	traffic jams	irritated	make
그	교통 체증	짜증이 난	~하게 하다

- .

3. 비는 그녀를 우울하게 했다.

made	unhappy	the rain	her
~하게 했다	우울한	비	그녀

- .

4. 그 영화는 그들을 지루하게 했다.

made	bored	them	the movie
~하게 했다	지루한	그들	그 영화

- .

5. 그녀의 편지는 그를 신나게 했다.

her letter	excited	him	made
그녀의 편지	신난	그	~하게 했다

- .

73

VOCABULARY

수의사

vet

떨다

shiver

안 좋은, 나쁜

bad

잃다

lose

털, 머리카락

hair

서두르다

hurry

벗겨진

bald

어머니

mother

웃다

laugh

걱정되는

worried

겁먹은

scared

젖은, 축축한

wet

가슴

chest

배

stomach

문지르다 (과거형 rubbed)

rub

조금

a few

궁금해하다

wonder

괜찮은; 그래

okay

VOCABULARY QUIZ

1 알파벳을 연결해서 단어를 만들고, 알맞은 그림과 연결해 보세요.

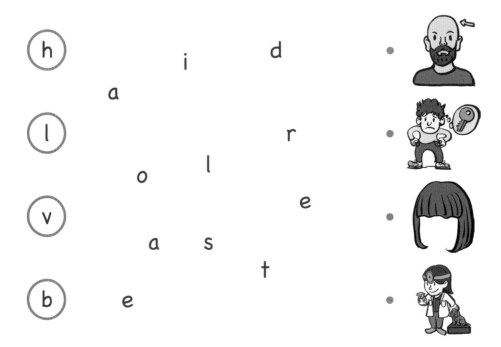

2 빈칸에 알맞은 알파벳을 넣어 단어를 완성해 보세요.

b _ _   _ _ e _ t   _ _ r _ied   w _ _ _ er

_ _ t   _ _ ive_   a f _ _   s _ a _ ed

3 그림을 보고 알맞은 단어를 넣어 퍼즐을 완성해 보세요.

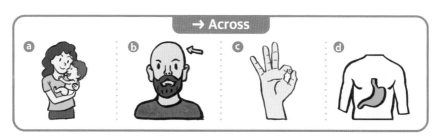

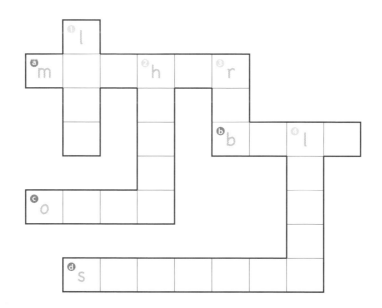

WRAP-UP QUIZ

1 이야기의 순서에 맞게 그림을 배열해 보세요.

a

Henry was worried for Mudge.

b

The vet examined Mudge.

c

Henry wondered if Mudge was doing okay.

d

Mudge shivered and shed in front of the vet.

2 다음 질문에 알맞은 답을 선택해 보세요.

1) Why was Henry NOT able to laugh at the vet's words?

   a. He was too scared for Mudge.

   b. He was afraid of the vet.

   c. He was not listening to her.

2) What did the vet NOT do when she examined Mudge?

   a. She looked at Mudge's eyes.

   b. She rubbed Mudge's head.

   c. She listened to Mudge's stomach.

3) What did the vet ask Henry to do?

   a. To hold Mudge's body tight

   b. To comfort Mudge

   c. To wait outside in the waiting room

3 책의 내용과 일치하면 T, 그렇지 않으면 F를 적어 보세요.

1) Mudge got totally bald before the vet checked him.   _____

2) The vet looked at Mudge's wet eyes.   _____

3) Henry had to wait outside with his mother.   _____

PATTERN DRILL

Henry wondered if Mudge knew **how to** say "ah."

헨리는 머지가 "아" 하고 소리 내는 법을 아는지 궁금해했다.

헨리는 머지가 수의사 선생님에게 검사를 잘 받고 있는지 걱정했어요. 머지가 입 안을 보여 주면서 "아" 소리를 내는 법을 아는지 궁금해했죠. 이렇게 **"~하는 법"**이라고 말할 때는 how to 다음에 동작을 나타내는 표현을 써요. 이때 동작 표현은 항상 원래 모습으로 써요.

how to + [동작]: ~하는 법

I know **how to** dance.
나는 춤추는 법을 안다.

They wonder **how to** use the coffee machine.
그들은 커피 기계를 사용하는 법을 궁금해한다.

His father taught him **how to** ride a bike.
그의 아버지는 그에게 자전거를 타는 법을 가르쳐 주었다.

＊ 지나간 일에 대해 말할 때 teach는 taught으로 변해요.

We learned **how to** save money.
우리는 돈을 절약하는 법을 배웠다.

우리말과 뜻이 통하도록 네모 안에 들어 있는 말을 바르게 배열해 보세요.

1. 우리는 꽃을 심는 법을 안다.

know	we	flowers	how to	plant
알다	우리	꽃	~하는 법	심다

We know _____ .

2. 그들은 수영하는 법을 설명한다.

how to	they	swim	explain
~하는 법	그들	수영하다	설명하다

_____ .

3. 그녀는 그 탁자를 조립하는 법을 이해했다.

assemble	how to	understood	the table	she
조립하다	~하는 법	이해했다	탁자	그녀

_____ .

4. 그는 젓가락을 사용하는 법을 배웠다.

learned	he	how to	chopsticks	use
배웠다	그	~하는 법	젓가락	사용하다

_____ .

5. 내 아버지는 내가 가장 좋아하는 요리를 하는 법을 알았다.

knew	my favorite food	cook	how to	my father
알았다	내가 가장 좋아하는 요리	요리하다	~하는 법	내 아버지

_____ .

VOCABULARY

감기; 추운, 차가운

cold

수의사

vet

열

fever

목

throat

빨간색의

red

피곤한

tired

~을 부탁하다

ask for

만화책

comic book

웃다

laugh

놓아 두다

let

쉬다; 나머지

rest

끄떡이다 (과거형 nodded)

nod

주다

give

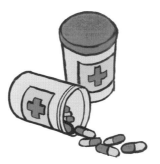

약

medicine

다시

again

입을 맞추다

kiss

더 나은

better

얼굴을 찌푸리다

frown

83

VOCABULARY QUIZ

1 그림에 맞는 단어를 퍼즐에서 찾아 표시하고 단어를 써 보세요.

q	t	l	n	g	d	q	v	r	c	u
a	x	u	o	r	s	c	e	a	o	k
g	c	k	w	s	g	d	t	q	l	o
a	v	l	a	u	g	h	d	g	d	p
i	h	o	t	r	a	b	c	c	b	g
n	j	n	k	t	o	l	i	b	h	i
t	m	e	d	i	c	i	n	e	d	v
w	q	b	y	u	q	w	t	t	r	e
e	a	s	d	g	a	w	r	t	h	i
v	n	f	r	o	w	n	w	e	k	l
n	z	q	s	g	j	l	k	r	x	a

2 그림에 맞는 단어를 연결하고 빈칸에 알맞은 알파벳을 넣어 보세요.

 •

• t _ ro _ t

 •

• _ _ _ t

 •

• _ _ k for

3 글자를 바르게 배열하여 단어를 완성해 보세요.

d c o l

o m c c i

d r e

e v f e r

_____   book   _____   _____

t l e

e i r d t

d n o

s k i s

_____   _____   _____   _____

85

1. 이야기의 순서에 맞게 그림을 배열해 보세요.

a

The vet said that Mudge had a cold.

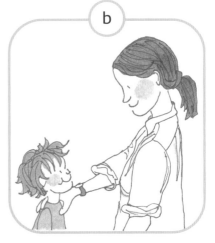

b

The vet told Henry how to take care of Mudge to make him better.

c

Henry did not like that he could not kiss Mudge until he got better.

d

The vet explained Mudge's symptoms: a fever, a red throat, and tiredness.

2 다음 질문에 알맞은 답을 선택해 보세요.

1) What did the vet tell Henry about Mudge?

   a. That Mudge had a cold

   b. That there was nothing wrong with Mudge

   c. That Mudge had a broken paw

2) What did Henry have to do in order to help Mudge get better?

   a. Henry had to take Mudge outside and let him enjoy fresh air.

   b. Henry had to let Mudge rest and give him his medicine.

   c. Henry had to bring Mudge back to the vet's office.

3) Which of the following could Henry NOT do until Mudge got better?

   a. He could not give Mudge a bath.

   b. He could not give Mudge crackers.

   c. He could not kiss Mudge.

3 책의 내용과 일치하면 T, 그렇지 않으면 F를 적어 보세요.

1) Henry could not laugh at the vet's words this time either. ＿＿＿

2) The vet told Henry to give Mudge his medicine. ＿＿＿

3) Henry did not care whether he could kiss Mudge or not. ＿＿＿

Mudge asked the vet **for** some comic books.
머지는 수의사 선생님에게 만화책 몇 권을 달라고 했다.

머지가 너무 걱정되어서 웃을 수 없었던 헨리. 그래서 수의사 선생님은 머지가 선생님에게 만화책을 달라고 했다며 농담을 했죠. 이렇게 **"—에게 ~을 달라고 부탁하다"**라고 말할 때는 ask 다음에 부탁할 대상을 쓰고, for와 부탁하는 내용을 차례대로 쓰면 돼요.

ask + [대상] + for + [내용]: —에게 ~을 (달라고) 부탁하다

I **asked** my father **for** advice.
나는 내 아버지에게 조언을 해 달라고 부탁했다.

She **asked** him **for** a piece of cake.
그녀는 그에게 케이크 한 조각을 달라고 부탁했다.

Mom **asked** me **for** a phone call.
엄마는 나에게 전화를 해 달라고 부탁했다.

They **asked** me **for** help.
그들은 나에게 도와 달라고 부탁했다.

우리말과 뜻이 통하도록 네모 안에 들어 있는 말을 바르게 배열해 보세요.

1. 나는 내 어머니에게 쿠키들을 달라고 부탁했다.

cookies	for	I	my mother	asked
쿠키들	~을	나	, 내 어머니	부탁했다

I asked

-- .

2. 그녀는 그에게 길을 알려 달라고 부탁했다.

asked	him	directions	for	she
부탁했다	그	길	~을	그녀

-- .

3. 나는 내 아버지에게 간식을 달라고 부탁했다.

I	my father	for	asked	a snack
나	내 아버지	~을	부탁했다	간식

-- .

4. 그는 직원에게 영수증을 달라고 부탁했다.

asked	the server	he	a receipt	for
부탁했다	직원	그	영수증	~을

-- .

5. 그들은 나에게 물 한 잔을 달라고 부탁했다.

asked	for	they	me	a cup of water
부탁했다	~을	그들	나	물 한 잔

-- .

VOCABULARY

어머니
mother

준비하다
fix

병상
sickbed

거실
living room

오래된
old

담요
blanket

더러운
dirty

양말
sock

야구
baseball

글러브

mitt

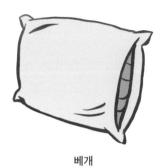

베개

pillow

속을 채운

stuffed

큰 사슴
(stuffed moose 큰 사슴 인형)

moose

다음의

next

얼음

ice

정육면체

cube

고무

rubber

큰

big

VOCABULARY QUIZ

1 알파벳을 연결해서 단어를 만들고, 알맞은 그림과 연결해 보세요.

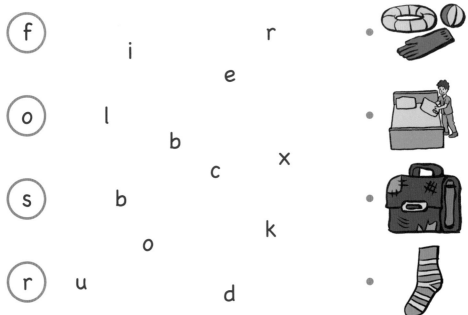

2 빈칸에 알맞은 알파벳을 넣어 단어를 완성해 보세요.

_oth__   s_u__ed   __d   p_ll__

b__   __oo_e   ne__   l___ng room

3 그림을 보고 알맞은 단어를 넣어 퍼즐을 완성해 보세요.

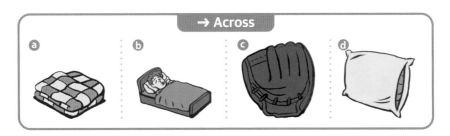

→ Across

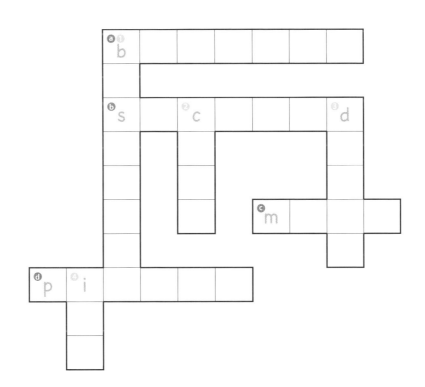

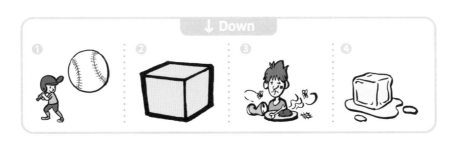

↓ Down

1 이야기의 순서에 맞게 그림을 배열해 보세요.

a

Henry gave Mudge a big kiss.

b

Henry fixed a sickbed for Mudge.

c

Henry brought Mudge some ice cubes, a rubber toy, and crackers.

d

Finally Mudge got better and ate his crakcers.

2 다음 질문에 알맞은 답을 선택해 보세요.

1) What did Henry do when he got back home?

a. He gave Mudge his medicine.

b. He prepared a sickbed for Mudge.

c. He went to his bed alone.

2) Which of the following was NOT in Mudge's sickbed?

a. A stuffed bear

b. Henry's old blanket

c. Henry's baseball mitt

3) What did Henry give Mudge when Mudge got better?

a. A great big kiss

b. A great big hug

c. A great big smile

3 책의 내용과 일치하면 T, 그렇지 않으면 F를 적어 보세요.

1) Henry's old shoes were in Mudge's sickbed.　　　_____

2) Henry ate the crackers when Mudge was still sick.　　　_____

3) When Mudge got better, he ate all of the crackers.　　　_____

PATTERN DRILL

Mudge's sick days **were over.**
머지의 아픈 날들이 끝났다.

머지를 정성껏 돌본 헨리 덕분에 마침내 머지의 감기가 나았어요. 머지의 아픈 날이
끝난 거예요! 이렇게 **"~이 끝났다"**라고 지나간 일에 대해 말할 때는 was over 또는
were over를 쓰면 돼요. 끝난 일이 하나일 때는 was, 여럿일 때는 were를 써요.

[상황] + was / were over : ~이 끝났다

My lunchtime **was over.**
내 점심시간이 끝났다.

The party **was over** too soon.
파티가 너무 빨리 끝났다.

The exams **were over.**
시험들이 끝났다.

All the classes **were over.**
모든 수업들이 끝났다.

우리말과 뜻이 통하도록 네모 안에 들어 있는 말을 바르게 배열해 보세요.

1. 영화가 끝났다.

over	the movie	was
끝이 난	영화	~였다 (be의 다른 모양)

The movie was --- .

2. 모든 경기들이 끝났다.

all the games	over	were
모든 경기들	끝이 난	~였다 (be의 다른 모양)

--- .

3. 주말이 끝났다.

was	over	the weekend
~였다 (be의 다른 모양)	끝이 난	주말

--- .

4. 그녀의 공연이 끝났다.

her performance	over	was
그녀의 공연	끝이 난	~였다 (be의 다른 모양)

--- .

5. 어려운 날들이 끝났다.

over	the difficult days	were
끝이 난	어려운 날들	~였다 (be의 다른 모양)

--- .

ANSWERS

Part 1

Vocabulary Quiz

1.

2.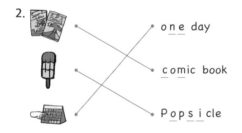

   o n e day

   c omic book

   P o p s i cle

3. sore / think / stay / grape

   dog / catch / sick / germ

Wrap-up Quiz

1. d ⋯▸ a ⋯▸ b ⋯▸ c

2. 1) b   2) a   3) c

3. 1) F   2) T   3) T

Pattern Drill

1. I bring him candy.

2. They bring the baby presents.

3. My friend brought me a sweater.

4. The server brought us our meal.

Part 2

Vocabulary Quiz

1.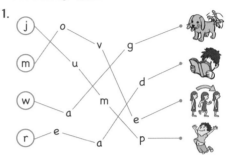

2. get up / a little / lick / look at

   shake / face / nod / out of

3.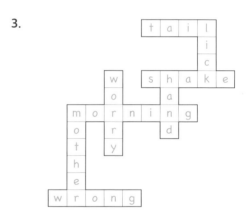

Wrap-up Quiz

1. b ⋯▸ a ⋯▸ c ⋯▸ d

2. 1) c   2) a   3) a

3. 1) T   2) F   3) F

Pattern Drill

1. The class must be boring to you.

2. She must be proud of her son.

3. The furniture must be expensive.

4. He must be in a bad mood.

5. The girl must be good at math.

Part 3

Vocabulary Quiz

1.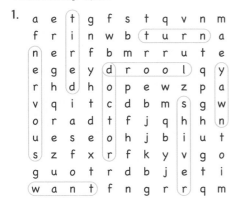

2.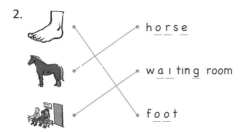

h <u>o</u> r s e

w <u>a</u> <u>i</u> tin <u>g</u> room

f <u>o</u> o t

3. pull / hop / doctor / bath

shed / walk / vet / hair

Wrap-up Quiz

1. b ⸱⸱⸱⸱ d ⸱⸱⸱⸱ c ⸱⸱⸱⸱ a

2. 1) b   2) a   3) c

3. 1) F   2) F   3) T

Pattern Drill

1. Spiders make me scared.

2. Traffic jams make him irritated.

3. The rain made her unhappy.

4. The movie made them bored.

5. Her letter made him exited.

Part 4

Vocabulary Quiz

1.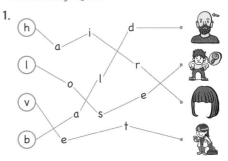

2. bad / chest / worried / wonder

wet / shiver / a few / scared

3.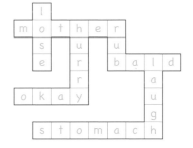

Wrap-up Quiz

1. d ⸱⸱⸱⸱ a ⸱⸱⸱⸱ b ⸱⸱⸱⸱ c

2. 1) a   2) c   3) c

3. 1) F   2) T   3) T

Pattern Drill

1. We know how to plant flowers.

2. They explain how to swim.

3. She understood how to assemble the table.

4. He learned how to use chopsticks.

5. My father knew how to cook my favorite food.

ANSWERS

Part 5

Vocabulary Quiz

1.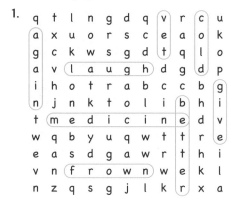

2.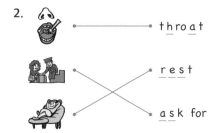

   - throat
   - rest
   - ask for

3. cold / comic book / red / fever

   let / tired / nod / kiss

Wrap-up Quiz

1. a ⟶ d ⟶ b ⟶ c

2. 1) a   2) b   3) c

3. 1) F   2) T   3) F

Pattern Drill

1. I asked my mother for cookies.

2. She asked him for directions.

3. I asked my father for a snack.

4. He asked the server for a receipt.

5. They asked me for a cup of water.

Part 6

Vocabulary Quiz

1.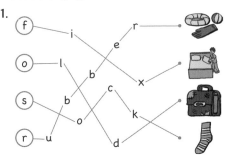

2. mother / stuffed / old / pillow

   big / moose / next / living room

3.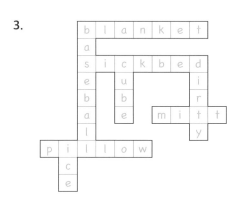

Wrap-up Quiz

1. b ⟶ c ⟶ d ⟶ a

2. 1) b   2) a   3) a

3. 1) F   2) T   3) T

Pattern Drill

1. The movie was over.

2. All the games were over.

3. The weekend was over.

4. Her performance was over.

5. The difficult days were over.